FRÁGIL

PRIMERA CLASE

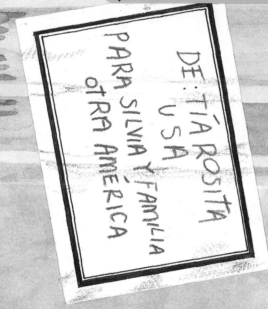

DE: TÍA ROSITA
U S A
PARA SILVIA Y FAMILIA
OTRA AMÉRICA

Zapatos nuevos para Silvia

PRIMERA CLASE

FRÁGIL

S0-AKH-350

SAN DIEGO
AUG 20 '92
CA.

U.S. POSTAGE
$213
METER
F900053

Johanna Hurwitz
Zapatos nuevos para Silvia

Ilustrado por Jerry Pinkney

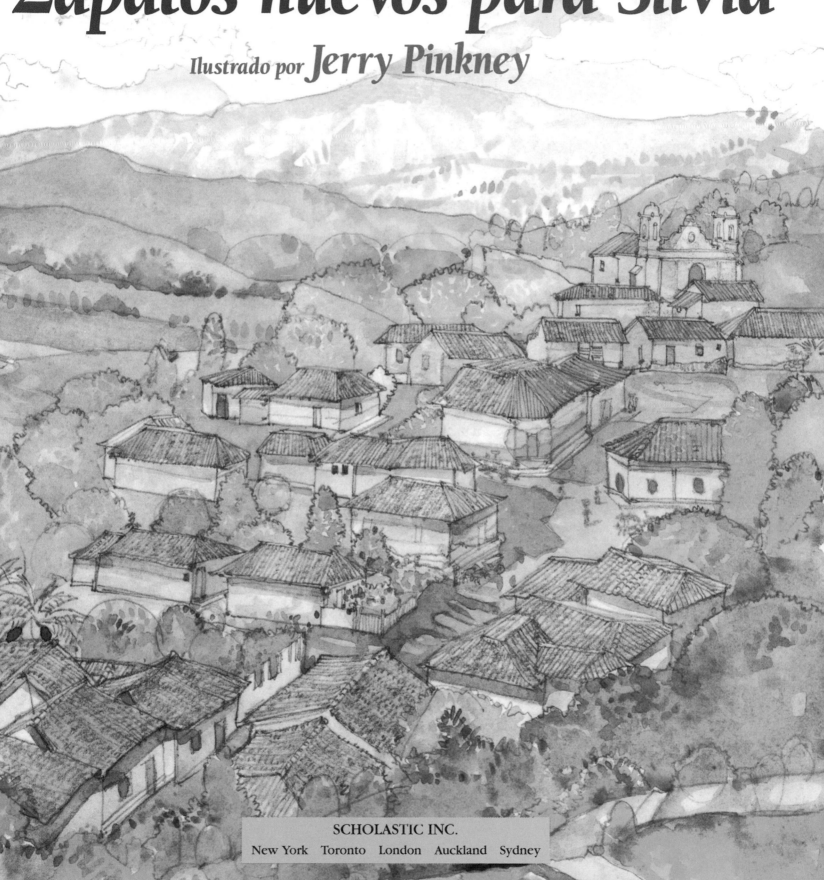

SCHOLASTIC INC.
New York Toronto London Auckland Sydney

Originally published as: *New Shoes for Silvia*

The full-color artwork was done in pencil, Primsacolor and watercolor on Arches watercolor paper.

No part of this publication may be reproduced in whole or in part, or
stored in a retrieval system, or transmitted in any form or by any
means, electronic, mechanical, photocopying, recording, or otherwise,
without written permission of the publisher. For information
regarding permission, write to
William Morrow and Company, Inc.,
1350 Avenue of the Americas, New York, NY 10019.

Text copyright © 1993 by Johanna Hurwitz.
Illustrations copyright © 1993 by Jerry Pinkney.
Spanish translation copyright © 1995 by Scholastic Inc.
All rights reserved. Published by Scholastic Inc., 555 Broadway,
New York, NY 10012, by arrangement with
William Morrow and Company, Inc.
Printed in the U.S.A.
ISBN 0-590-48750-7

4 5 6 7 8 9 10   14   02 01 00 99 98

Para Nomi y los hijos de Niquinohomo
J. H.

Para mi nieto Rashad Cameron
J. P.

Una vez, en otra América lejana, llegó un paquete al correo. Lo enviaba la tía Rosita, y adentro había regalos para toda la familia.

Para Silvia había un regalo espléndido: unos relucientes zapatos rojos, con hebillas que brillaban al sol como si fueran de plata.

En un abrir y cerrar de ojos, Silvia se puso los hermosos zapatos nuevos y comenzó a caminar para que todos la vieran.

—¡Miren, miren! —decía.

—Esos zapatos son tan rojos como el sol cuando se pone —dijo su abuela—. Pero te quedan muy grandes.

—Tus zapatos son rojos como el corazón de la sandía —dijo Papá—. Pero te quedan muy grandes. Te vas a caer si los usas.

—Tía Rosita te envió zapatos del color de una rosa —dijo Mamá—. Los guardaremos hasta que te queden bien.

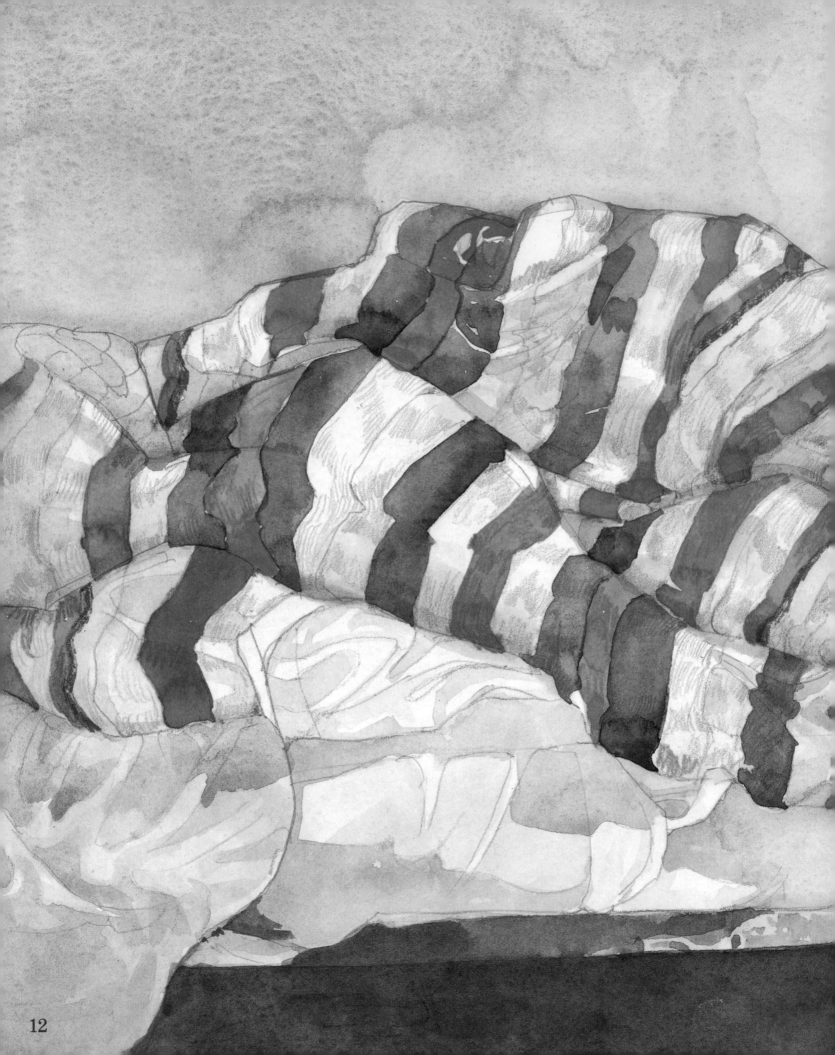

Silvia se puso triste. ¿De qué servía tener zapatos nuevos si no los podía usar?

Esa noche durmió abrazada a sus zapatos.

A la mañana siguiente, Silvia se volvió a probar los zapatos rojos. Tal vez le habían crecido los pies durante la noche.

No. Los zapatos todavía le quedaban grandes. Pero eran justo del tamaño de una cuna para sus muñecas. Y aunque ya era de día, las muñecas se volvieron a dormir en sus cunas rojas.

Pasó una semana. Silvia volvió a probarse los zapatos. Tal vez le habían crecido los pies durante la semana.

No. Todavía le quedaban muy grandes, pero servían para hacer un tren con dos vagones. Los empujó por todo el piso. ¡Qué bonito paseo dieron sus muñecas en el tren rojo!

Pasó otra semana y Silvia volvió a probarse los zapatos rojos. Estaba segura de que ahora le habían crecido los pies.

No. Todavía le quedaban muy grandes. Pero Silvia encontró una cuerda y la ató a los zapatos. Entonces parecían dos bueyes arando el campo.

Pasó otra semana y Silvia se probó los zapatos otra vez. ¿Le quedarían bien ahora?

No. Todavía le quedaban muy grandes. Pero en ellos cabían justo las conchillas y piedritas que había recogido con sus abuelitos en la playa.

Pasó otra semana. Y otra y otra. Silvia estaba tan ocupada jugando con otros niños o ayudando a su mamá con el bebé o dando de comer a las gallinas o recogiendo los huevos, que se olvidó completamente de probarse sus nuevos zapatos rojos.

Un día, Mamá le estaba escribiendo una carta a la tía Rosita y Silvia se acordó de sus zapatos rojos. Sacó todas las conchillas y las piedritas y lustró los zapatos con su falda. Estaban tan rojos y tan hermosos como siempre. ¿Le quedarían bien ahora?

¡Sí!

—¡Miren, miren! —gritaba, mientras corría a mostrar los zapatos a Mamá y al bebé—. Ahora ya no me quedan grandes.

Silvia se puso sus zapatos rojos para ir con Mamá al correo a despachar la carta.

—A lo mejor hay otro paquete para nosotros —dijo Silvia.

—No todos los días llegan paquetes —le respondió Mamá.

—Quizás la próxima vez la tía Rosita me envíe unos zapatos azules —dijo Silvia.

Despacharon la carta y volvieron a casa. Los zapatos de Silvia eran tan rojos como el sol cuando se pone. Rojos como el corazón de una sandía. Y rojos como una rosa. Sus hebillas brillaban al sol como si fueran de plata.

¡Pero lo mejor de todo es que a Silvia le calzaban perfectamente!